D1071410

RETOUR SUR BELZAGOR

EPISODE 1/2

Scénario : Philippe Thirault
d'après Robert Silverberg

Dessin : Laura Zuccheri

Couleur : Silvia Fabris

LES HUMANOÏDES ASSOCIÉS

DU MÊME SCÉNARISTE

MISS • AVEC MARC RIOU ET MARK VIGOUROUX
QUATRE VOLUMES

MANDALAY • AVEC BUTCH GUICE, GALLUR ET JOSÉ MALAGA
QUATRE VOLUMES

ARÈNE DES BALKANS • AVEC JORGE MIGUEL

LA MEUTE DE L'ENFER • AVEC CHRISTIAN HØJGAARD, DRAZEN KOVACEVIC ET ROMAN SURZHENKO

MILLE VISAGES • AVEC MARC MALÈS
CINQ VOLUMES

SANCTUAIRE GENESIS • AVEC CHRISTOPHE BEC ET STEFANO RAFFAELE
DEUX VOLUMES

DE LA MÊME DESSINATRICE

LES ÉPÉES DE VERRE • AVEC SYLVIANE CORGIAT
QUATRE VOLUMES

RETOUR SUR BELZAGOR EST UNE ADAPTATION DU ROMAN *LES PROFONDEURS DE LA TERRE* DE ROBERT SILVERBERG.

REMERCIEMENTS DE L'ÉDITEUR À VINCE GERARDIS.

SUR **HUMANO.COM**, RETROUVEZ L'ACTUALITÉ DE VOS SÉRIES, DES CONCOURS, DES LECTURES GRATUITES,
DES MAKING-OF ET AUTRES BONUS.

CONCEPTION GRAPHIQUE : JERRY FRISSEN
DÉCOUPAGE GRAPHIQUE : JORGE MIGUEL

RETOUR SUR BELZAGOR
ÉPISODE 1/2

PREMIÈRE ÉDITION : 2017 - LES HUMANOÏDES ASSOCIÉS

ACHEVÉ D'IMPRIMER EN JANVIER 2017 EN POLOGNE

DÉPÔT LÉGAL AVRIL 2017

ISBN : 978 2 7316 5286 4

ICI LE COMMANDANT DU VAISSEAU DE TRANSPORT VQG101. PRÉPAREZ-VOUS À UN ATTERRISSAGE IMMINENT.
LA TERRE DE HOLMAN, EXOPLANÈTE DE CLASSE VII, AU COURS DE L'ÂGE D'OR DE SA COLONISATION.

ORDRE À TOUTES LES UNITÉS COLONIALES D'IMPLANTATION DE DÉBARQUER.

VOTRE ATTENTION S'IL VOUS PLAÎT, ON ATTEND LE LIEUTENANT EDMUND GUNDERSEN AU CHECKPOINT DE SON LIEU D'AFFECTATION, LE POSTE DES NAGGIARS. JE RÉPÈTE...

C'EST VOUS, LE LIEUTENANT GUNDERSEN ? VINGT-ET-UN ANS ?

ÇA FAIT SACRÉMENT JEUNE POUR ÊTRE ENVOYÉ CHEZ KURTZ LE CINGLÉ.

POSTE DES NAGGIARS.
J'AI AUTRE CHOSE À FAIRE QUE DE M'OCCUPER D'UNE NOUVELLE RECRUE.

SURTOUT UN JOUR DE RÉCOLTE DE VENIN.

COMMANDANT KURTZ, JE SUIS VOTRE NOUVEL ADJOINT, J'AI VOYAGÉ EN CARGO PENDANT UN MOIS POUR REJOINDRE CETTE COLONIE ET JE TIENS À SAVOIR EN QUOI CONSISTE MON POSTE.

L'ADMINISTRATION TERRIENNE M'ENVOIE DES JEUNES BLANCS-BECS COMME VOUS TOUS LES SIX MOIS, GUNDERSEN.

GÉNÉRALEMENT, ILS NE FONT PAS DE VIEUX OS EN TERRE DE HOLMAN.

VENEZ, LIEUTENANT, JE VOUS AFFECTE À LA RÉCOLTE DU VENIN.

ICI, NOUS RECUEILLONS LE VENIN DES NAGGIARS, UN PRODUIT MIRACLE QUI RÉGÉNÈRE LES TISSUS ET QUE TOUTES CES COUILLES MOLLES RESTÉES SUR TERRE PAYENT À PRIX D'OR POUR LA CHIRURGIE RÉPARATRICE.

RELIEZ CE TRUC AU TUYAU COLLECTEUR, ET DÉPÊCHEZ-VOUS. ON A SIGNALÉ UN NAGGIAR DANS LES PARAGES.
MAIS...

C'EST EN MARTELANT LE SOL QUE LES INDIGÈNES ATTIRENT LES NAGGIARS. CES PISTONS EN IMITENT LE BRUIT, ET ILS ARRIVENT.

VOUS SAVEZ QUAND MÊME CE QUE SONT LES NAGGIARS ?
BOUM BOUM BOUM
BEN, JE... NON !

ALORS OUVREZ GRAND LES YEUX.

BOUM BOUM BOUM BOUM BOUM

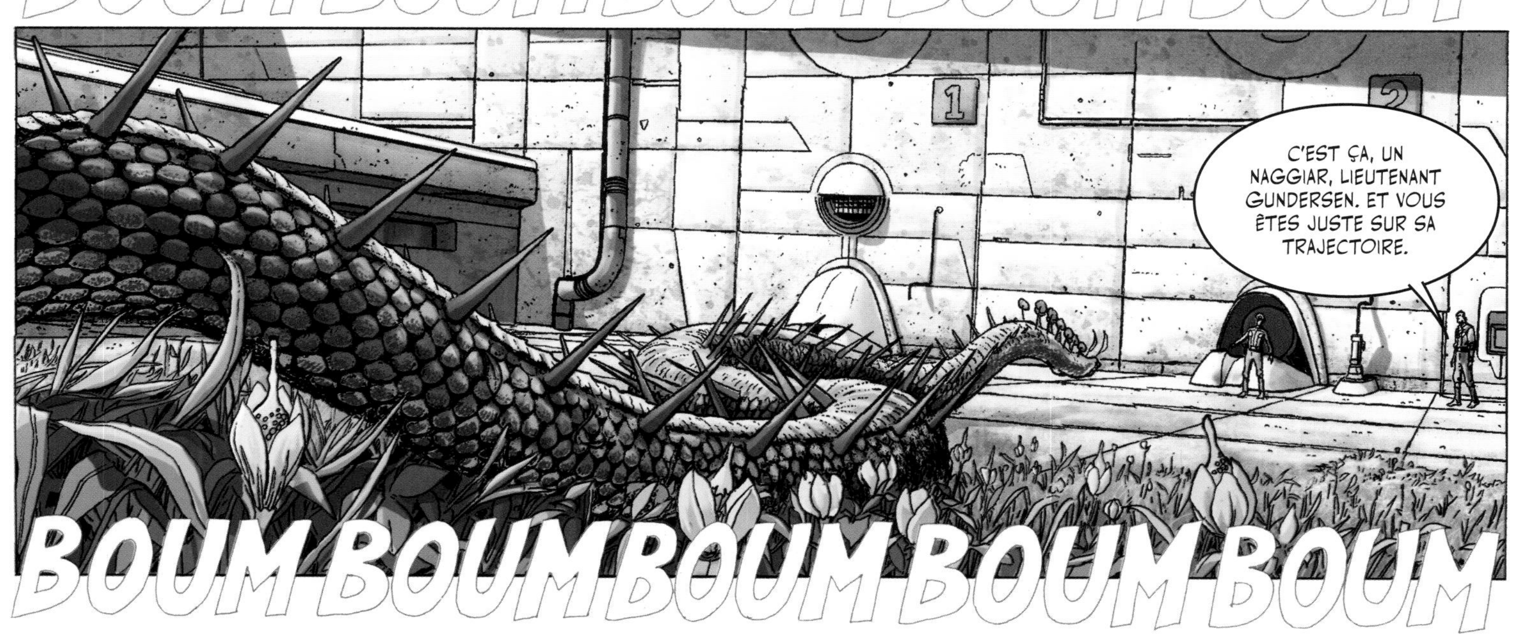
1
2
C'EST ÇA, UN NAGGIAR, LIEUTENANT GUNDERSEN. ET VOUS ÊTES JUSTE SUR SA TRAJECTOIRE.
BOUM BOUM BOUM BOUM BOUM

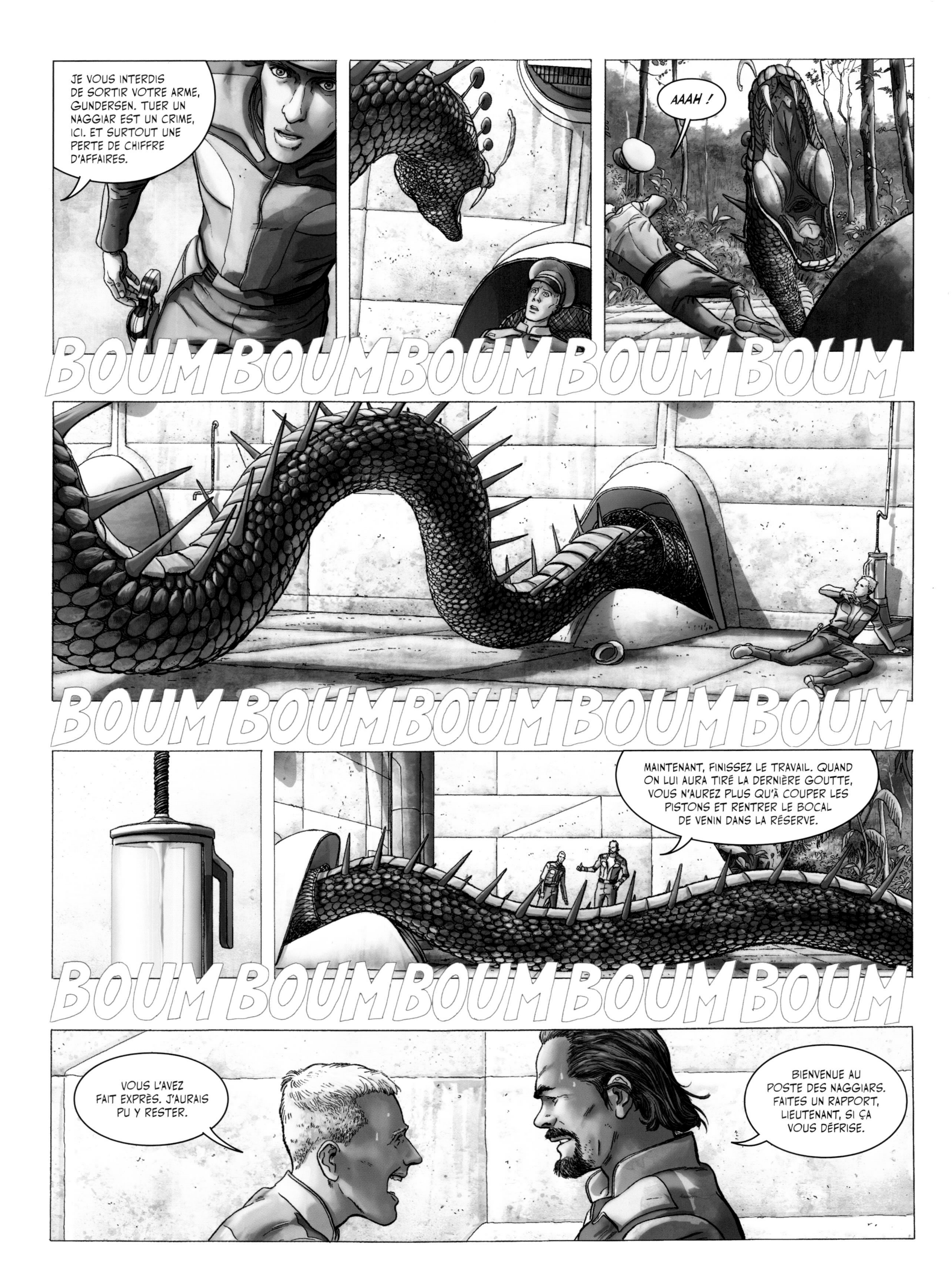
JE VOUS INTERDIS DE SORTIR VOTRE ARME, GUNDERSEN. TUER UN NAGGIAR EST UN CRIME, ICI. ET SURTOUT UNE PERTE DE CHIFFRE D'AFFAIRES.
AAAH !
BOUM BOUM BOUM BOUM BOUM
BOUM BOUM BOUM BOUM BOUM
MAINTENANT, FINISSEZ LE TRAVAIL. QUAND ON LUI AURA TIRÉ LA DERNIÈRE GOUTTE, VOUS N'AUREZ PLUS QU'À COUPER LES PISTONS ET RENTRER LE BOCAL DE VENIN DANS LA RÉSERVE.
BOUM BOUM BOUM BOUM BOUM
VOUS L'AVEZ FAIT EXPRÈS. J'AURAIS PU Y RESTER.
BIENVENUE AU POSTE DES NAGGIARS. FAITES UN RAPPORT, LIEUTENANT, SI ÇA VOUS DÉFRISE.

POUR UN BLEU, VOUS VOUS EN ÊTES BIEN TIRÉ, LIEUTENANT.
M... MERCI.

JE COMPRENDS POURQUOI ON L'APPELLE KURTZ LE CINGLÉ.
OUAIS, C'EST LA PREMIÈRE CHOSE QU'ON APPREND, ICI.

KURTZ ? QU'EST-CE QU'IL FAIT ? LA RÉCOLTE EST POURTANT TERMINÉE...

UN BON CONSEIL, NE CHERCHEZ PAS À SAVOIR.

LE VENIN N'A PAS QUE DES PROPRIÉTÉS BIENFAISANTES.
KURTZ EST CINGLÉ, ÇA OUI.

ET BIEN PLUS QUE VOUS NE POUVEZ L'IMAGINER.

DIX-HUIT ANS PLUS TARD.
RÈGLE NUMÉRO UN, MONSIEUR ET MADAME WINGATE : INTERDICTION ABSOLUE DE RÉVÉLER LE VÉRITABLE BUT DE NOTRE EXPÉDITION QUAND NOUS SERONS SUR LA TERRE DE HOLMAN.

LES HUMAINS N'ONT RIGOUREUSEMENT PAS LE DROIT D'ASSISTER À UNE CÉRÉMONIE DE LA RENAISSANCE. SI QUELQU'UN VOUS ENTEND ET VEND LA MÈCHE AUX AUTORITÉS, ON ENVERRA UN VAISSEAU NOUS RÉCUPÉRER ET ÇA SERA UN RETOUR DIRECT SUR TERRE.

QUANT AUX BESTIAUX, C'EST PAREIL, NE DITES RIEN DEVANT EUX, C'EST PLUS PRUDENT.
MONSIEUR GUNDERSEN, JE VOUS EN PRIE, NOUS NE SOMMES PLUS AU TEMPS DE LA COLONISATION. NOUS DEVONS PARLER DE NILDOROR ET DE SULIDOROR, PAS DE BESTIAUX. CE SONT DES ÊTRES DOUÉS D'UNE INTELLIGENCE SUPÉRIEURE.

ET CETTE PLANÈTE N'EST PLUS LA TERRE DE HOLMAN, ELLE S'APPELLE BELZAGOR, MONSIEUR GUNDERSEN. LA DÉCOLONISATION A PERMIS DE RENDRE SON NOM À LA PLANÈTE, ET LA PLANÈTE À SES HABITANTS.
CAS UNIQUE DANS LES EX-COLONIES TERRIENNES, DEUX ESPÈCES COMPLÈTEMENT DIFFÉRENTES SONT ÉGALEMENT INTELLIGENTES ET COEXISTENT PACIFIQUEMENT.

PLANÈTE RENDUE AUX UNS, VOLÉE AUX AUTRES. PERSONNE NE S'EST PRÉOCCUPÉ DE TOUS CES COLONS RENVOYÉS SUR TERRE. ILS AURAIENT TRANSFORMÉ CETTE PLANÈTE EN UN ENDROIT OÙ IL AURAIT FAIT BON VIVRE.
JE ME DEMANDE DANS QUEL ÉTAT EST RETOMBÉE LA TERRE DE HOLMAN.

REGARDEZ ! QUELLE SPLENDEUR !

HUIT ANS... HUIT ANS QUE JE NE SUIS PAS REVENU...

CES BEAUTÉS ONT DÛ VOUS MANQUER.

VOUS VOUS RAPPELEZ, MADAME WINGATE, QUAND VOUS ÊTES VENUE ME CHERCHER AU SERVICE DES ARCHIVES DES EXOPLANÈTES, J'AI D'ABORD REFUSÉ...
APPELEZ-MOI DOROTHY. J'AI ÉTÉ AFFREUSEMENT DÉÇUE, ON M'AVAIT DIT QUE VOUS CONNAISSIEZ BELZAGOR COMME VOTRE POCHE.

EH BIEN, DOROTHY... HEUREUSEMENT, J'AI RÉALISÉ QUE JE FERAIS UNE ÉNORME ERREUR SI JE NE SAUTAIS PAS SUR L'OCCASION. DEPUIS QUE J'AI QUITTÉ CETTE PLANÈTE, C'EST COMME SI TOUT, DANS MA VIE, ÉTAIT DEVENU GRIS ET MORNE.
VOICI NOTRE DESTINATION : LE PAYS DES BRUMES. AUTREFOIS, IL FALLAIT UN MOIS DE VOYAGE EN CARGO ET LORSQUE LES COLONS ARRIVAIENT, ILS DISAIENT QUE C'ÉTAIT L'ŒIL DE LA PLANÈTE QUI LES REGARDAIT...

VOUS ALLEZ VOIR, SAM, C'EST LE PARADIS POUR DES ÉTHOLOGUES DES EXOPLANÈTES COMME VOUS.
EN CE QUI ME CONCERNE, MONSIEUR GUNDERSEN, JE PRÉFÈRE QUE VOUS VOUS EN TENIEZ À « DOCTEUR WINGATE »...

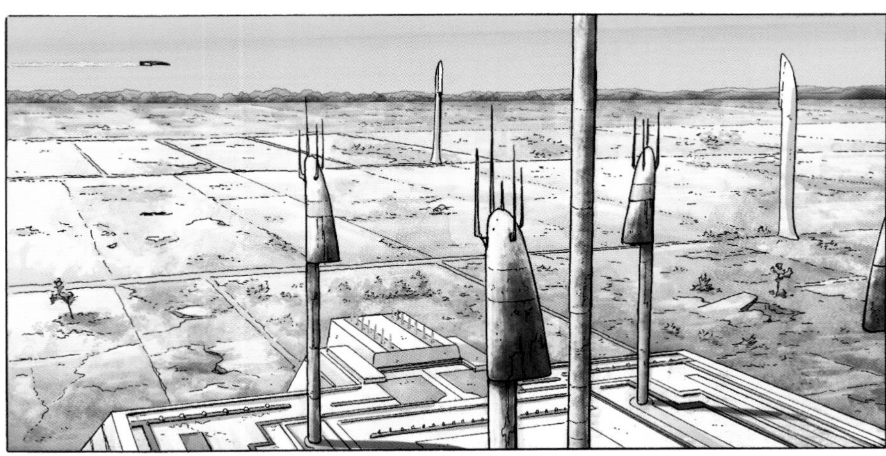

NAVETTE DU VOL BBKG819 EN PROVENANCE DE LA TERRE, DEMANDE L'AUTORISATION D'ATTERRIR...

ASTROPORT DE BELZAGOR À NAVETTE, BIEN REÇU.
AUTORISATION D'ATTERRISSAGE SUR LA PISTE ALPHA.

LA PISTE N'EST PAS LIBRE.
OBSTACLES DÉTECTÉS. VEUILLEZ VOUS RASSEOIR S'IL VOUS PLAÎT.

C'ÉTAIT MOINS UNE.

TOUTES LES AUTRES PISTES SONT LIBRES. IL A FALLU QUE CET ABRUTI DE ROBOT-AIGUILLEUR DE LA TOUR DE CONTRÔLE NOUS ENVOIE SUR CELLE-LÀ.

ET VOS NILDOROR SI INTELLIGENTS ONT FAILLI NOUS FAIRE CRASHER, DOCTEUR WINGATE.

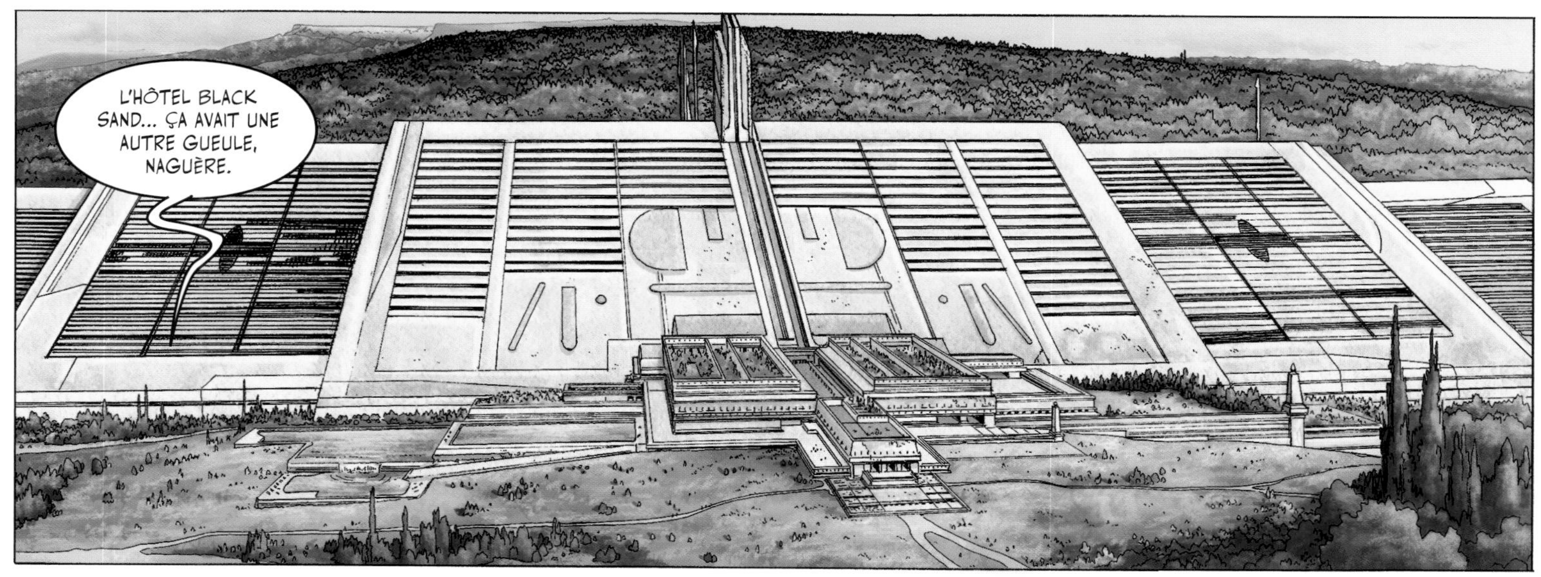
L'HÔTEL BLACK SAND... ÇA AVAIT UNE AUTRE GUEULE, NAGUÈRE.

UN HUMAIN TIENT L'ACCUEIL, C'EST TOUJOURS ÇA.

UN... UN SULIDOR ?

RÉCEPTIONNISTE ! QUE FAIT-IL ICI ?

MAIS... IL TRAVAILLE. REB'HAOUL EST LE GROOM DE CET HÔTEL DEPUIS TROIS ANS. C'EST UN EMPLOYÉ MODÈLE.

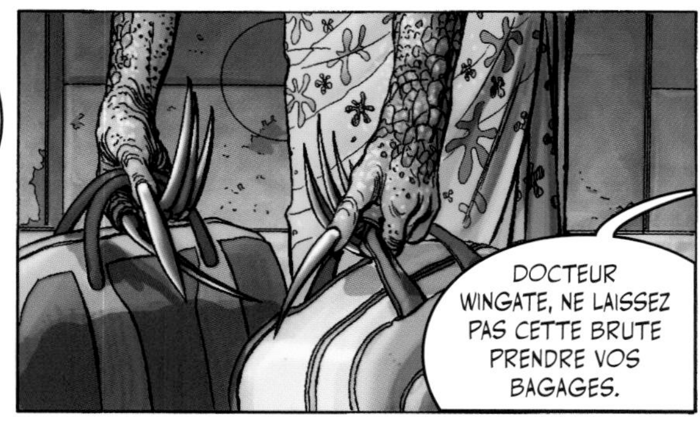
DOCTEUR WINGATE, NE LAISSEZ PAS CETTE BRUTE PRENDRE VOS BAGAGES.

IL N'Y A RIEN D'EXTRAORDINAIRE À CONFIER SES BAGAGES À UN GROOM. DÉTENDEZ-VOUS, GUNDERSEN.
BLACK SAND

PAS POUR MOI, MERCI.
SAM, C'EST DÉLICIEUX. POUR UNE FOIS, TU POURRAIS SAVOURER.

JE N'AVAIS JAMAIS VU AUTANT D'EMPLOYÉS SULIDOROR. DU TEMPS DE LA COLONISATION, ILS QUITTAIENT TRÈS RAREMENT LE PAYS DES BRUMES. C'ÉTAIENT LES NILDOROR QUI FOURNISSAIENT LA MAIN-D'ŒUVRE GRATUITE.

DITES, GUNDERSEN, VOUS M'ASSUREZ QUE NOUS AVONS SUFFISAMMENT DE MARGE POUR ARRIVER À TEMPS DANS LE PAYS DES BRUMES ?

LE RITUEL SE DÉROULE LORS D'UNE CONJONCTION RARE ENTRE BELZAGOR ET SES CINQ LUNES. LA PLANÈTE ET SES SATELLITES NE NOUS ATTENDRONT PAS.

BON SANG ! JE VOUS AI DIT D'ÊTRE DISCRET.

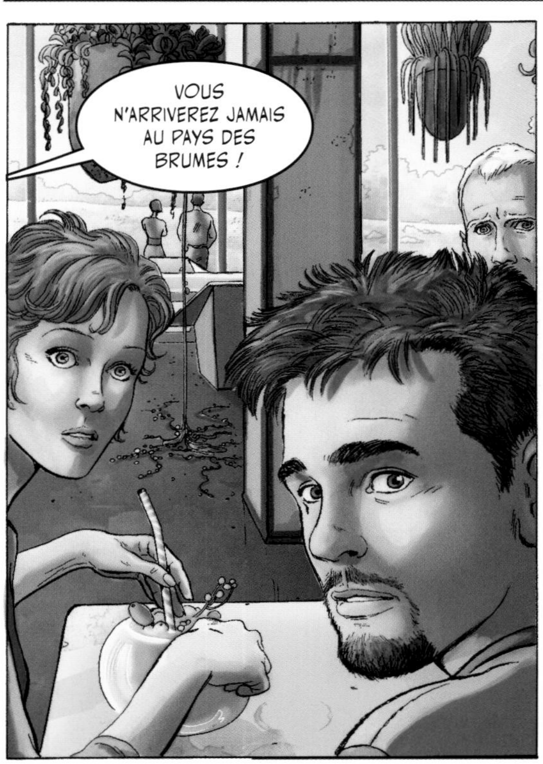
VOUS N'ARRIVEREZ JAMAIS AU PAYS DES BRUMES !

J'AI FAILLI NE PAS VOUS RECONNAÎTRE, MONSIEUR LE DIRECTEUR. VOUS ME REMETTEZ ? ALEXANDER VAN BENEKER... ALEX.

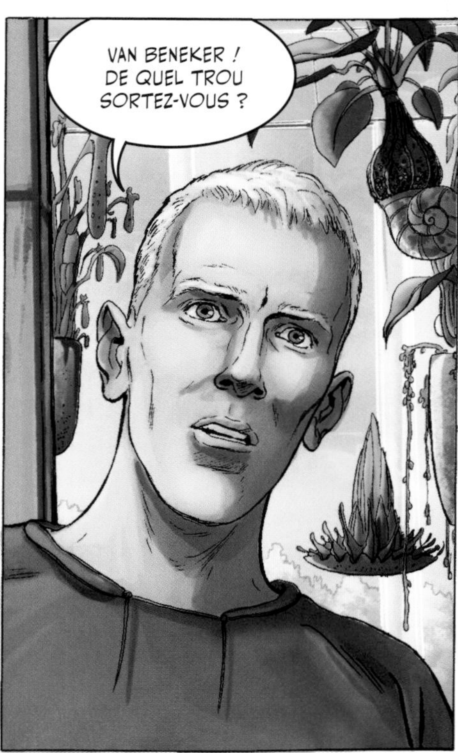
VAN BENEKER ! DE QUEL TROU SORTEZ-VOUS ?

VOUS NE POURREZ PAS ALLER DANS LE TERRITOIRE SACRÉ SANS UN LAISSEZ-PASSER DÉLIVRÉ PAR VOL'HIMYOR, LE NILDOR QUI RÈGNE SUR LA TRIBU DU LAC LUK'HALUU. ET IL N'EN ACCORDE AUCUN AUX HUMAINS.

JE CROYAIS QUE TOUS LES DÉTAILS ÉTAIENT RÉGLÉS, GUNDERSEN ?
JE N'AURAI AUCUNE DIFFICULTÉ À ME PROCURER CE LAISSEZ-PASSER. CE DÉTAIL SERA RÉGLÉ COMME LES AUTRES.

SI VOUS ÊTES AMATEURS DE SENSATIONS FORTES, JE PEUX VOUS PROPOSER AUTRE CHOSE.
CELA FAIT CINQ ANS QUE JE PROMÈNE LES TOURISTES DANS LES TROPIQUES... IL Y AURA MOYEN, CONTRE UN PETIT SUPPLÉMENT, DE GOÛTER À DES SPÉCIALITÉS LOCALES.

TAISEZ-VOUS, VAN BENEKER ! C'EST UNE MISSION SCIENTIFIQUE QUE JE CONDUIS, NOUS N'AVONS BESOIN D'AUCUN GUIDE TOURISTIQUE, SI C'EST BIEN CE QUE VOUS ÊTES DEVENU...

OUI, MAIS LES CLIENTS SONT PLUTÔT RARES. VOUS EN REVANCHE, ÇA A L'AIR D'ALLER. JE M'ÉTONNE TOUT DE MÊME QUE VOUS SOYEZ REVENU, APRÈS TOUT ÇA.
TOUT ÇA ?

IL VEUT DIRE APRÈS TOUT CE TEMPS.
TIREZ-VOUS MAINTENANT.

BIEN, JE VOIS QU'AU FOND, VOUS N'AVEZ PAS BEAUCOUP CHANGÉ. AU PLAISIR MESSIEURS-DAMES, JE RESTE DANS LE COIN, VOUS SAUREZ OÙ ME TROUVER SI VOUS AVEZ BESOIN D'UN GUIDE COMPÉTENT.

OH ! REGARDEZ DEHORS, MONSIEUR GUNDERSEN, IL Y A UN SPECTACLE ÉTONNANT.

DES NILDOROR !
SAM, DONNE-MOI
L'HOLO-CAMÉRA !

NOUS AVONS DE LA CHANCE
D'ASSISTER À CES
ACCOUPLEMENTS.

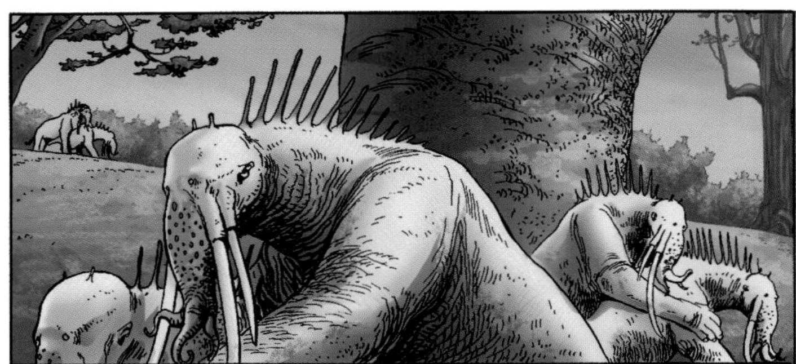

POURQUOI EST-CE
QU'ILS FONT ÇA ICI ? ILS
N'ONT AUCUNE PUDEUR.
VOUS LES CONNAISSEZ
COMME MOI, ÇA NE LEUR
RESSEMBLE PAS... C'EST
UNE PROVOCATION.

C'EST POUR VOUS
QU'ILS FONT ÇA, MONSIEUR
LE DIRECTEUR. ILS NE VOUS
ONT PAS OUBLIÉ.

PUTAIN
D'ÉLÉPHANTS !

C'EST
DÉJÀ FINI ?

PLUS TARD.
CE GUNDERSEN, JE ME DEMANDE SI TU AS FAIT LE BON CHOIX EN L'ENGAGEANT.
4K
ULTRA HD TV

JE SUIS DÉJÀ BIEN GENTILLE DE PRENDRE EN CHARGE TOUTE L'ORGANISATION. EN TANT QUE SCIENTIFIQUE, JE SUIS SUR LE MÊME PLAN QUE TOI, SAM. TU AS L'AIR DE L'OUBLIER.

IL EST PLEIN DE RESSENTIMENTS ET IL NOUS CACHE DES CHOSES SUR SON PASSÉ, JE N'AIME PAS ÇA. POURQUOI CE VAN BENEKER L'A-T-IL APPELÉ « MONSIEUR LE DIRECTEUR » ?

IL EST COMME TOUTES CES PERSONNES QUE LA DÉCOLONISATION A LAISSÉES SUR LE TAPIS. MAIS IL EST SÉRIEUX, JE LUI FAIS CONFIANCE. ET IL PARLE LE NILDORORU.
TU N'AS TOUT DE MÊME PAS LE BÉGUIN POUR LUI ?

JE ME DEMANDE SI LUI N'A PAS LE BÉGUIN POUR TOI... J'AI SURPRIS DES REGARDS...
MOI ? TU ES DINGUE.

ET ÇA TE REND JALOUX ?

N'IMPORTE QUOI... LÀ, C'EST TOI QUI ES DINGUE.

PENDANT CE TEMPS-LÀ, AU BAR DE L'HÔTEL.
J'AI TOUT CE QUE VOUS POUVEZ DÉSIRER, MONSIEUR, MAIS POURQUOI PAS QUELQUE CHOSE D'UN PEU PLUS... CORSÉ ?
QUEL GENRE ?

UN PETIT DEEP BLUE. IL Y A DES TOURISTES QUI VIENNENT DE TRÈS LOIN POUR GOÛTER À ÇA. LE VENIN DE NAGGIAR, ÇA SECOUE. CE N'EST PAS À LA CARTE, MAIS ON PEUT S'ARRANGER, BIEN ENTENDU.

JE NE BOIRAI PAS UNE GOUTTE DE CETTE MERDE.

BARMAN, PRÉPARE MA SPÉCIALE. UN DOUBLE DEEP BLUE.

B... BIEN, M'SIEUR KURTZ.

DÉPÊCHE-TOI, DUCON, Y FAIT SOIF.

GUNDY !?

QU'EST-CE QUE TU FOUS LÀ, BORDEL DE MERDE ? COMMENT AS-TU OSÉ REVENIR ?

JE N'AI PAS EU L'OCCASION DE VOUS FAIRE MES ADIEUX, IL Y A HUIT ANS.

ET POUR CAUSE, J'ÉTAIS EN TAULE À CAUSE DE TOI.

TU VAS REPRENDRE LE PREMIER VAISSEAU POUR LA TERRE, OU C'EST MOI QUI T'Y FAIS MONTER À COUPS DE PIED DANS LE CUL !

VOUS PROFITIEZ DE VOTRE POSITION POUR ORGANISER UN TRAFIC DE VENIN, KURTZ. EN VOUS DÉNONÇANT AUX AUTORITÉS, JE N'AI FAIT QUE MON DEVOIR.

T'ÉTAIS UN CUL-SERRÉ, GUNDY, ET JE PARIE QUE T'AS TOUJOURS RIEN APPRIS.

T'AS PAS INTÉRÊT À ÊTRE REVENU POUR FOUTRE LA MERDE.

OUVREZ LES PORTES DE LA GRANGE. NOUS RENTRONS LES ORIAKAS.

K'OPLAH ! RABATS-LES VERS L'ÉTABLE.

TIENS-TOI PRÊTE À FERMER LES PORTES, DU'JAYUKH.

ALLEZ, ALLEZ, ON SE DÉPÊCHE, J'AI ENCORE LE DÎNER À PRÉPARER.

TE VOILÀ ! TU TE RAPPELLES QUE TU AS UN FOYER ET UNE FEMME QUAND C'EST L'HEURE DU DÎNER.

HABITUELLEMENT MA PRÉSENCE NE SEMBLE PAS MANQUER À MA CHÈRE ÉPOUSE.
JE NE SUIS PAS VENU POUR BOUFFER, J'AI PAS FAIM.

QU'EST-CE QU'IL T'ARRIVE ?

IL M'ARRIVE QUE J'AI CROISÉ UN FANTÔME : CE TROU DU CUL D'EDDIE GUNDERSEN.

EDDIE ? CE... CE N'EST PAS POSSIBLE.

EN ATTENDANT, IL PICOLAIT AU BLACK SAND. IL EST CERTAINEMENT REVENU POUR TOI.

NON, DU'JAYUKH, MOI NON PLUS JE... JE N'AI PAS FAIM.

TU L'AIMES TOUJOURS ? MAIS BORDEL DE MERDE, VA LE LUI DIRE !

SI EDDIE ÉTAIT LÀ POUR MOI, IL SERAIT DÉJÀ VENU ME VOIR.
CE CON ARROGANT ATTEND QUE CE SOIT TOI QUI TE JETTES À SES PIEDS.

MAINTENANT QUE TU SAIS QU'IL EST LÀ, QU'EST-CE QUE TU ATTENDS ?

IL Y A QUELQUE CHOSE D'AUTRE QUI TE DÉRANGE DANS LE RETOUR D'EDDIE, NON ?

SI GUNDERSEN VIENT FOURRER SON NEZ À LA FERME, IL RISQUE DE DÉCOUVRIR MES STOCKS.
S'IL ME DÉNONCE, JE RETOURNERAI EN TAULE, ET CETTE FOIS JE SUIS SÛR D'Y CREVER.

IL FAUDRAIT QUE T'AILLES LE VOIR, SEENA, POUR SAVOIR CE QU'IL MIJOTE.

TU TE FOUS DE MOI ? PAS QUESTION. SI EDDIE ME DÉBARRASSE DE TOI, TANT MIEUX.

ALLEZ TOUS VOUS FAIRE FOUTRE ! JE SAIS CE QU'IL ME RESTE À FAIRE.

BLAM
C'EST ÇA, RETOURNE DANS TA JUNGLE POUR T'OCCUPER DE TES TRAFICS ET DE CES EXPÉRIENCES QUI TE DÉTRUISENT.

DOUZE ANS PLUS TÔT, SUR LA PLAGE DE L'HÔTEL BLACK SAND.

EDDIE, ARRÊTE. IL Y A DES NILDOROR.
SEENA ! ON S'EN FOUT DE CES ANIMAUX.

ILS SONT INTELLIGENTS, ILS COMPRENNENT, JE NE VEUX PAS QU'ILS NOUS REGARDENT.

TIREZ-VOUS !

SALETÉ D'ÉLÉPHANTS !

PAS QUESTION QUE CES MASTODONTES GÂCHENT NOTRE SOIRÉE. JE ME SENS COMPLÈTEMENT HEUREUX POUR LA PREMIÈRE FOIS DE MA VIE.

D'ABORD, JE SUIS FOU DE TOI.

ENSUITE, JE SUIS LE NOUVEAU PATRON DU BARRAGE MONROE, LE PLUS GRAND ÉDIFICE DE LA TERRE DE HOLMAN.

ET ENFIN J'AI ÉCHAPPÉ À CE MAUDIT KURTZ.

JE SUIS FLATTÉE D'AVOIR ÉTÉ CITÉE EN PREMIER DANS LA LISTE DES BONHEURS DU DIRECTEUR EDMUND GUNDERSEN.

MOI AUSSI JE T'AIME.

ÉCOUTEZ, GUNDERSEN, J'AI BESOIN D'ARGENT ET LES WINGATE ONT LES MOYENS. PRENEZ-MOI SUR CETTE EXPÉDITION. JE DOIS QUITTER BELZAGOR.
CETTE PLANÈTE EST EN TRAIN DE POURRIR, ET MOI AVEC.

JE COMPRENDS QUE REVOIR MA TÊTE NE VOUS FASSE PAS PLAISIR. CELA VOUS RAPPELLE DES MOMENTS DOULOUREUX... MAIS JE N'AI JAMAIS FAIT PARTIE DE LA MEUTE QUI A VOULU VOUS CRUCIFIER.

ÇA NE SERAIT PAS PLUTÔT LE VENIN DE NAGGIAR QUI VOUS POURRIT ?

RENDEZ-MOI ÇA.

ENGAGEZ-MOI OU JE VOUS DÉNONCE À L'INSPECTION DES EXO-COLONIES, JE LEUR DIRAI QUE VOUS ALLEZ ESPIONNER UNE CÉRÉMONIE DE LA RENAISSANCE.

J'AI BIEN ENVIE DE VOUS TORDRE LE COU, ALEX...
ALLEZ, UN BON GESTE, MONSIEUR LE DIRECTEUR !

EST-CE QUE VOUS POURRIEZ NOUS PROCURER DES TORCHES À FUSION ?

TSS, TSS... DES ARMES DE CATÉGORIE 6, FORMELLEMENT INTERDITES DANS LES EXOMONDES... BIEN SÛR, AUTANT QUE VOUS VOULEZ !

VOUS NON PLUS, VOUS NE DORMEZ PAS, MONSIEUR GUNDERSEN ?
APPELEZ-MOI EDDIE, DOROTHY.

QUI EST CE VAN BENEKER, EDDIE ? VOUS SEMBLEZ BIEN VOUS CONNAÎTRE, MAIS NE PAS VOUS APPRÉCIER.
À L'ÉPOQUE DE LA TERRE DE HOLMAN, JE DIRIGEAIS LE BARRAGE MONROE QUI DESSERVAIT LES TROPIQUES EN EAU, ET VAN BENEKER A ÉTÉ MON ADJOINT.

ALORS C'EST ÇA, SES « MONSIEUR LE DIRECTEUR » ? COMMENT SE FAIT-IL QUE QUELQU'UN COMME VOUS SE SOIT ENTERRÉ SUR TERRE DANS CE SERVICE D'ARCHIVES OÙ NOUS VOUS AVONS RENCONTRÉ ?
C'EST COMME SI JE M'ÉTAIS MIS MOI-MÊME EN SOMMEIL, CRYOGÉNISÉ... LOIN DE CETTE PLANÈTE, MA VIE AVAIT PERDU TOUTES SES COULEURS.

C'EST POUR ÇA QU'IL FALLAIT QUE JE REVIENNE. TÔT OU TARD, CE QU'ON N'A PAS RÉGLÉ REVIENT VOUS HANTER.
ET COMMENT S'APPELLE-T-ELLE, CELLE QUI VOUS HANTE ?

JE VOUS DEMANDE PARDON ?
VOUS SAVEZ BIEN CE QU'ON DIT : « CHERCHEZ LA FEMME... »

ELLE S'APPELAIT SEENA... SEENA ROYCE. ELLE N'A PAS VOULU REVENIR AVEC MOI SUR TERRE. ET MOI, JE NE POUVAIS PLUS VRAIMENT RESTER.
VOUS L'AIMEZ TOUJOURS ?...

... NON.

JE VOUS ADMIRE, VOUS SAVEZ, DOROTHY. VOUS PARTAGEZ TOUT AVEC VOTRE MARI. VOUS ÊTES UN BEAU COUPLE, COMME J'AURAIS AIMÉ EN FORMER UN, SI J'AVAIS PU.
C'EST VRAI, SAM ET MOI NOUS FORMONS UN COUPLE UNI, ÇA DATE DU DÉBUT DE NOS ÉTUDES. MAIS PARFOIS J'AIMERAIS QU'IL S'OCCUPE D'AUTRE CHOSE QUE DE SA CARRIÈRE ET DE SES RECHERCHES. QU'IL S'OCCUPE AUSSI DE MOI.

SI C'ÉTAIT À MOI DE M'OCCUPER DE VOUS, JE VOUS EMMÈNERAIS NAGER.
VENEZ DANS L'EAU. ELLE EST À PLUS DE TRENTE DEGRÉS ET SATURÉE DE SODIUM ; ELLE VOUS PORTE SANS QUE VOUS N'AYEZ D'EFFORTS À FAIRE.

PAS CE SOIR. UNE AUTRE FOIS PEUT-ÊTRE.

COMME VOUS VOUDREZ, MOI JE NE ME PRIVE PAS DE CE PLAISIR.

J'AI ATTENDU ÇA HUIT ANS.

SEENA ! SEENA !

FERME DE SEENA ROYCE,
HUIT ANS PLUS TÔT.
SEENA ! JE TE CHERCHE PARTOUT. POURQUOI TU NE RÉPONDS PAS À MES APPELS ? JE PARS, BON SANG !

TU AS BRISÉ TOUS MES RÊVES, EDDIE, ALORS LAISSE-MOI TRANQUILLE.

DEPUIS L'AFFAIRE DU BARRAGE MONROE, JE SUIS UN PESTIFÉRÉ, ICI. LE BOUC ÉMISSAIRE DES PROBLÈMES DE CETTE PLANÈTE. JE SUIS OBLIGÉ DE RENTRER SUR TERRE. ET TOI QUI DISAIS M'AIMER, TU ME REJETTES À TON TOUR.
VIENS AVEC MOI. S'IL TE PLAÎT. JE TE LE DEMANDE UNE DERNIÈRE FOIS.

TU SAIS TRÈS BIEN QUE JE NE PEUX PAS PARTIR. JE N'ABANDONNERAI NI MES TERRES, NI MES BÊTES. TOUT CE QUI M'EST PRÉCIEUX EST ICI.

JE VEUX DIRE... C'EST TOUTE MA VIE.

LÂCHE-MOI !

PARS, PUISQUE TU Y TIENS.
PAS LA PEINE DE ME SUIVRE.

SEENA ! À UNE ÉPOQUE, RIEN N'ÉTAIT PLUS PRÉCIEUX QUE NOTRE AMOUR...

À L'AUBE, DEVANT L'HÔTEL BLACK SAND.
VOILÀ, COMME CONVENU, DES FUSIONKISSER PRESQUE NEUVES, ATTENTION C'EST SENSIBLE.
DÉSOLÉ, MONSIEUR VAN BENEKER, TRÈS PEU POUR MOI.

VOUS ÊTES VRAIMENT SÛR QU'IL FAILLE PRENDRE VAN BENEKER AVEC NOUS ?
IL NE SERA PAS INUTILE, ET PUISQU'IL EST AU COURANT DU BUT RÉEL DE NOTRE VOYAGE, CELA L'EMPÊCHERA DE BAVASSER.

UN TRUC M'ÉCHAPPE, GUNDERSEN, POURQUOI AVONS-NOUS BESOIN D'UNE AUTORISATION DES NILDOROR POUR FAIRE QUELQUE CHOSE D'INTERDIT, DE TOUTE FAÇON ?
NOUS NE DÉVOILERONS PAS NOTRE VÉRITABLE BUT, MAIS NOUS AVONS ABSOLUMENT BESOIN DE PORTEURS NILDOROR POUR ALLER AU PAYS DES BRUMES. LES GLISSEURS NE PASSERONT PAS.

QUOI ?! MAIS SI JAMAIS ON NE SE MET PAS D'ACCORD AVEC EUX ?
LAISSEZ-MOI FAIRE AVEC LES ÉLÉPHANTS, JE LES CONNAIS.

ARRÊTEZ D'ÊTRE AUSSI MÉPRISANTS AVEC LES NILDOROR, GUNDERSEN. FAITES COMME MOI, RESPECTEZ-LES !
EN MÊME TEMPS, DOCTEUR WINGATE, VOUS ÊTES VENU ICI POUR IMPRESSIONNER VOS PETITS COPAINS DE LA FAC ET DÉCROCHER DES HONNEURS, EN RENTRANT AVEC DES IMAGES SPECTACULAIRES VOLÉES AUX NILDOROR, CONTRE LEUR GRÉ.
DRÔLE DE FAÇON DE LES RESPECTER, NON ?!

SAM N'A PAS L'HABITUDE QU'ON LUI PARLE COMME ÇA, VOUS SAVEZ.

S... SEENA !

ELLE S'APPELLE SEENA. ILS SE SONT SÉPARÉS QUAND IL EST RENTRÉ SUR TERRE, ÇA A ÉTÉ DOUBLEMENT DIFFICILE POUR LUI, TU COMPRENDS ? ET ILS N'AVAIENT PAS RÉGLÉ TOUS LEURS COMPTES, ON DIRAIT.

COMMENT EST-CE QUE TU SAIS TOUT ÇA, TOI ?
ON EST VRAIMENT FORCÉS DE S'OCCUPER DES VIEILLES HISTOIRES DE CUL DE NOTRE GUIDE ?

QUOI ?! TU ES MARIÉE À KURTZ ? MAIS COMMENT TU AS PU ME FAIRE ÇA ?!
TOI, TOUJOURS TOI ! TU N'AS PAS LE DROIT DE ME FAIRE DE REPROCHES. C'EST TOI QUI ES PARTI.

HUIT ANS SANS DONNER LA MOINDRE NOUVELLE !
JE T'AI ATTENDU, EDDIE.
C'EST... C'EST VRAI ?

OUI C'EST VRAI. JE ME DISAIS QUE PEUT-ÊTRE TU AURAIS LAISSÉ PASSER UN AN OU DEUX, LE TEMPS QUE LES CHOSES SE TASSENT ICI, ET QUE TU SERAIS REVENU...

MAIS LA VÉRITÉ C'EST QUE TU AS JOUÉ L'HOMME BLESSÉ ET TU AS SACRIFIÉ NOTRE RELATION À TA FIERTÉ. OUI, MONSIEUR ÉTAIT TROP FIER ET TROP CON !

C'EST POUR ME DIRE ÇA QUE TU VOULAIS ME REVOIR ?
ÇA FAIT HUIT ANS QUE ÇA DEVAIT SORTIR.

SEENA ! ATTENDS... ON PEUT PARLER.

TU SAIS OÙ J'HABITE.

LE SOIR VENU...

MANGEZ SANS MOI, JE VAIS FAIRE UN TOUR.

LE POSTE DES NAGGIARS...

DU VENIN.

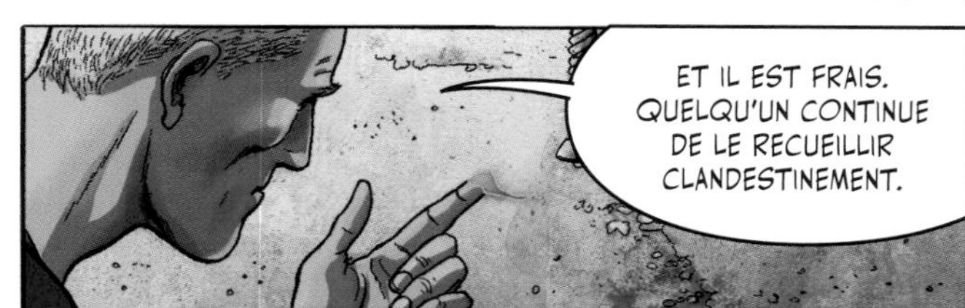
ET IL EST FRAIS. QUELQU'UN CONTINUE DE LE RECUEILLIR CLANDESTINEMENT.

... KURTZ !

SEIZE ANS PLUS TÔT, AU POSTE DES NAGGIARS.
MONSIEUR ! DITES-MOI POURQUOI VOUS M'AVEZ EMMENÉ ICI, AVEC CES DEUX NILDOROR ? VOUS NE TROUVEZ PAS QUE LA JOURNÉE, AVEC LA COLLECTE DU VENIN, A ÉTÉ SUFFISAMMENT LONGUE ?

TU PENSAIS QUE TA JOURNÉE ÉTAIT DÉJÀ TERMINÉE, GUNDY ? ELLE COMMENCE, AU CONTRAIRE.

QU'EST-CE QUE VOUS FAITES ? DÉTOURNER DE LA MATIÈRE PREMIÈRE EST PARFAITEMENT ILLÉGAL.
DÉCOINCE-TOI UN PEU, TU FAIS PEINE À VOIR.

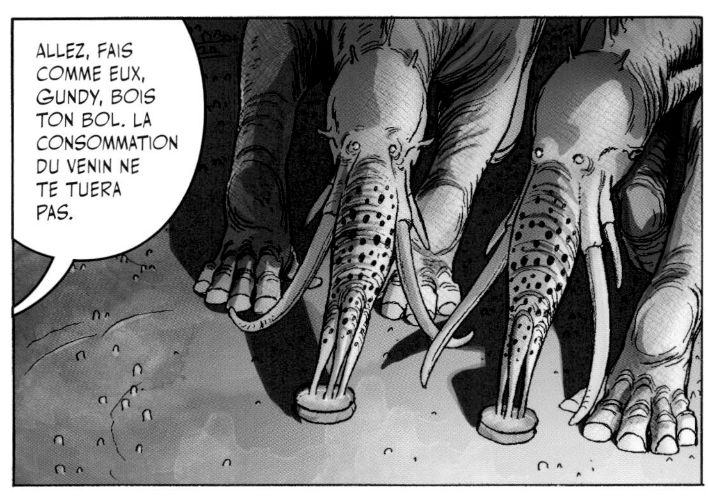
ALLEZ, FAIS COMME EUX, GUNDY, BOIS TON BOL. LA CONSOMMATION DU VENIN NE TE TUERA PAS.

BOUM BOUM BOUM

ENCORE CE BRUIT. JE L'AI ENTENDU TOUTE LA JOURNÉE, JE NE LE SUPPORTE PLUS.
BOUM

BOUM BOUM
MAIS QU'EST-CE QUE VOUS FAITES ?

BOUM BOUM
IL EST GRAND TEMPS QUE TU SOIS INITIÉ AU VÉRITABLE SECRET DU POSTE DES NAGGIARS.

TU T'IMAGINAIS EN VENANT SUR CETTE PLANÈTE, QUE TU ALLAIS FAIRE UNE BRILLANTE CARRIÈRE, ET GRAVIR TOUS LES ÉCHELONS JUSQU'AU POSTE DE GOUVERNEUR, PAS VRAI ? TOUT ÇA, C'EST DES CONNERIES.

ON NE T'A JAMAIS PARLÉ DU G'RAKH ?
LE QUOI ?

LE G'RAKH, CRÉTIN ! TU N'ES PAS LÀ, AVEC MOI, AVEC CES NILDOROR PAR HASARD. TU DOIS SUIVRE UN CHEMIN QUI TE MÈNERA VERS QUELQUE CHOSE QUI N'EXISTE QUE SUR CETTE PLANÈTE, VERS TON VRAI MOI, VERS L'EXTASE.

TU NE VEUX PAS CONNAÎTRE LA RÉPONSE À TOUTES LES QUESTIONS ? AH ! AH ! AH !
MONSIEUR, AVEC TOUT MON RESPECT, VOUS ÊTES DÉFONCÉ, VOUS DITES N'IMPORTE QUOI.

OUCH !

ABANDONNE TES PRÉJUGÉS, TES PETITES IDÉES ÉTRIQUÉES DE TERRIEN FORMÉ À L'ÉCOLE DE L'ADMINISTRATION COLONIALE. TU NE VOIS PAS CE QUE CE MONDE A DE FONDAMENTALEMENT DIFFÉRENT ?

J'AI ENTENDU DES RUMEURS SUR VOS PRATIQUES... DÉVIANTES. VOUS NE M'ENTRAÎNEREZ PAS DANS CETTE VOIE.

BOIS, C'EST UN ORDRE DE TON COMMANDANT. OU ALORS TU REPARS AVEC LE PROCHAIN VAISSEAU !

TU VAS SENTIR LE COSMOS QUI ENTRE EN TOI, GUNDY, TU VAS TE TRANSFORMER ET DEVENIR CETTE PLANÈTE... TU VAS VOIR QUE TU PEUX DEVENIR UN AUTRE... LE G'RAKH...

AAAH... BON DIEU MA NUQUE... C'EST UNE TORTURE...

RAAAH ! IL Y A DES MILLIONS DE FOURMIS SOUS MA PEAU.

NOON !

QU'EST-CE QU'IL M'ARRIVE, KURTZ ? QU'EST-CE QUE VOUS M'AVEZ FAIT ?

BRAAAAAA !
KURTZ ! NON C'EST UN CAUCHEMAR. VOUS... VOUS...

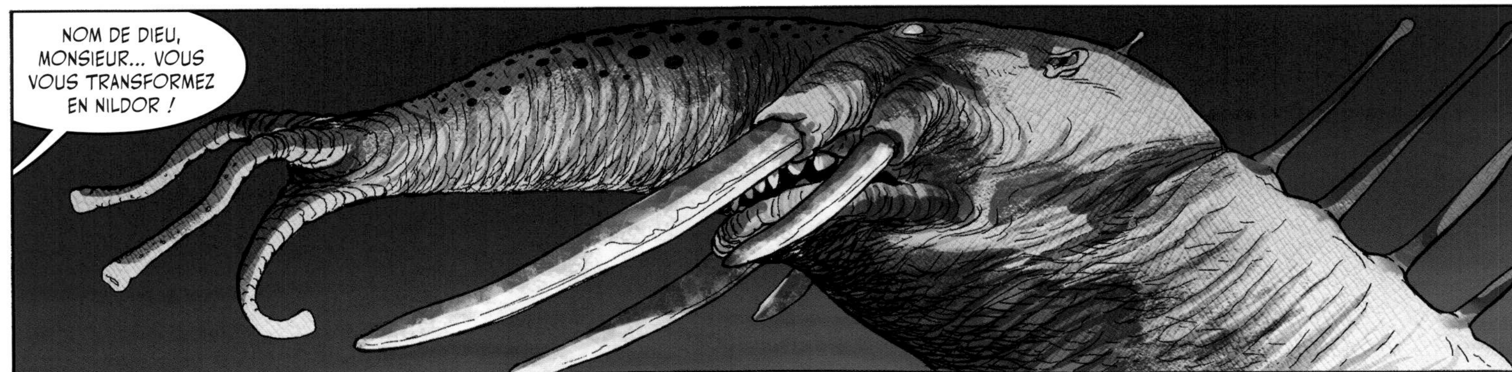
NOM DE DIEU, MONSIEUR... VOUS VOUS TRANSFORMEZ EN NILDOR !

DE L'EAU...
DE L'EAU... SINON
JE VAIS MOURIR...

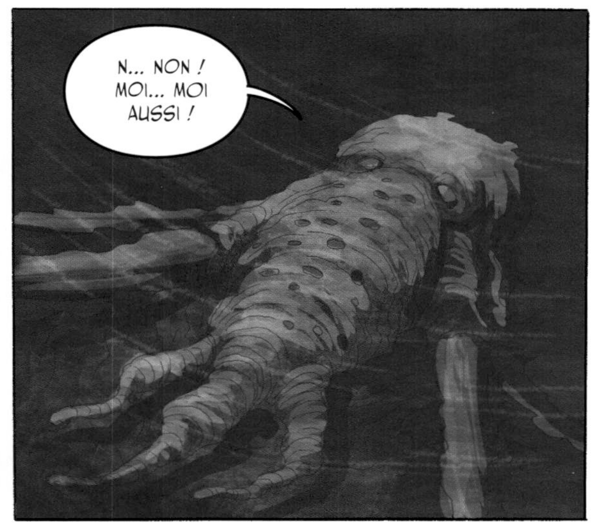
N... NON !
MOI... MOI
AUSSI !

NOOON...

BOIRE !
VIVRE !

LES DEUX
NILDOROR
SE SONT
TRANSFORMÉS
EN HUMAINS. ILS
SONT DEVENUS
NOUS !

JE NE PEUX PAS RESTER COMME
ÇA ! C'EST UN CAUCHEMAR, JE
VEUX ME RÉVEILLER.

NOOON...

VOUS SAVEZ, EDDIE, LES NILDOROR CROIENT DANS UNE SORTE D'ÂME COLLECTIVE, LE G'RAKH...

BIEN SÛR. UNE VIEILLE CROYANCE LOCALE, LE G'RAKH, UNE SORTE DE MÉLANGE ENTRE DIEU ET L'INCONSCIENT.

PAS SEULEMENT. POUR LES NILDOROR C'EST UNE FORCE QUI ÉMANE DE LA PLANÈTE, QUELQUE CHOSE DE CONCRET, DE PALPABLE.

POUR EUX, LE G'RAKH POSSÈDE UN RÔLE RÉPARATEUR SUR L'ESPRIT. ON PEUT LE CONTRÔLER OU L'UTILISER POUR TROUVER LA SAGESSE, LA COMMUNION AVEC LA NATURE, CE GENRE DE CHOSES...
AU FOND, EDDIE, ÇA VOUS CONCERNE AUSSI, N'ÊTES-VOUS PAS REVENU POUR ÊTRE RÉPARÉ ?

VOUS ALLEZ UN PEU VITE EN BESOGNE, DOCTEUR. BELZAGOR M'A MARQUÉ, C'EST CERTAIN. POUR LE RESTE... LES SUPERSTITIONS...
AH ! AH ! AH ! ÇA FAIT DEUX FOIS QUE JE VOUS ENTENDS DIRE BELZAGOR À LA PLACE DE LA TERRE DE HOLMAN. VOUS VOYEZ, ON DIRAIT QUE LA « RÉPARATION » A COMMENCÉ.

TOUCHÉ.
ET VOUS, VOUS ALLEZ RESTER TOUTE VOTRE VIE AVEC CE TYPE QUI EST UN VRAI BONNET DE NUIT ?

QU'EST-CE QU'IL VOUS PREND ?

VOUS CONTINUEZ SANS MOI, JE CHANGE DE GLISSEUR.

JE SUIS VENU SOLLICITER UNE AUDIENCE AUPRÈS DE VOL'HIMYOR. PEUX-TU ME CONDUIRE JUSQU'À LUI ?

JE NE COMPRENDS PAS. AVANT, LES SULIDOROR ET LES NILDOROR N'AURAIENT JAMAIS COHABITÉ AINSI... LES NILDOROR DANS LES TROPIQUES, LES SULIDOROR DANS LE PAYS DES BRUMES...
AH BIEN SÛR, CELA VOUS ÉTONNE, VOUS L'ANCIEN COLON, QUE DES PEUPLES AUTREFOIS ASSERVIS PUISSENT COEXISTER AUSSI PACIFIQUEMENT.

DES MALIDAROR... ILS NE SONT PAS DANGEREUX, SAUF QUAND ILS ONT PEUR.

ATTENDEZ-MOI ICI.
ET CESSEZ D'UTILISER VOTRE TECHNOLOGIE POUR LE MOMENT, CELA POURRAIT FROISSER LES NILDOROR.

VOL'HIMYOR DE LA SEPTIÈME NAISSANCE NE SOUHAITE PAS S'ENTRETENIR AVEC TOI, HUMAIN.

JE T'EN PRIE, VOL'HIMYOR DE LA SEPTIÈME NAISSANCE, VOIS, JE M'INCLINE RESPECTUEUSEMENT DEVANT TOI, JE VIENS EN AMI TE DEMANDER UNE FAVEUR.

JE CONNAIS LES HUMAINS, ILS SONT FOUS ET CUPIDES. TU N'ES PAS L'AMI DES NILDOROR. TU DOIS PARTIR.

ÉCOUTE-MOI JUSTE UN INSTANT, VOL'HIMYOR DE LA SEPTIÈME NAISSANCE. IL Y A D'AUTRES HUMAINS AVEC MOI, POUR QUI C'EST LE PREMIER VOYAGE ET ILS VIENNENT HUMBLEMENT À VOTRE RENCONTRE, AVEC UNE SEULE SOIF, CELLE DE LA CONNAISSANCE.

ILS VOUS CONSIDÈRENT COMME UN PEUPLE IMPORTANT, DANS LE MONDE QUI EST AU-DESSUS DE NOS TÊTES, CELUI DES ÉTOILES D'OÙ ILS VIENNENT, ET ILS SOUHAITENT VOUS Y FAIRE CONNAÎTRE. ILS ONT BESOIN DE PORTEURS POUR VISITER LE PAYS DES BRUMES, RIEN DE PLUS.

JE TE RAPPELLE QUE LE PAYS DES BRUMES EST LE SIÈGE DE RITES INTERDITS AUX HUMAINS.

MES CLIENTS S'EN TIENDRONT À L'ÉCART. SEULE L'EXPLORATION DE BELZAGOR LES MOTIVE. ILS NE TROUBLERONT PAS LE G'RAKH, JE M'Y ENGAGE.

JE TE CONNAIS. JE SAIS CE QUE TU AS FAIT PAR LE PASSÉ, *GUNDY*.

JE NE PEUX DONC PAS CROIRE EN TA PAROLE.

JE... J'AI CHANGÉ. J'AI COMPRIS LES ERREURS DE LA PÉRIODE COLONIALE. AUJOURD'HUI, JE RESPECTE CETTE GRANDE PLANÈTE ET TOUS SES HABITANTS.

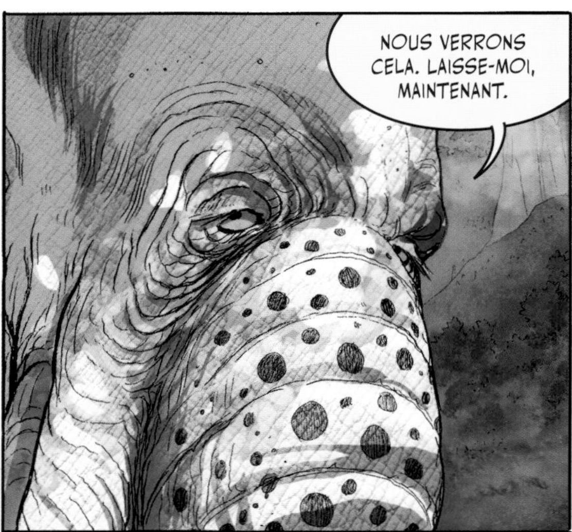
NOUS VERRONS CELA. LAISSE-MOI, MAINTENANT.

LES NÉGOCIATIONS SERONT LONGUES...
VOUS AVIEZ PROMIS QU'IL N'Y AURAIT AUCUN PROBLÈME, GUNDERSEN, ET IL NE RESTE PLUS BEAUCOUP DE TEMPS AVANT QUE LES NILDOROR SE LIVRENT À LEUR CÉRÉMONIE DE LA RENAISSANCE.

LE LENDEMAIN...
VOL'HIMYOR, ÉCOUTE-MOI.
VA-T'EN, TERRIEN, TU TROUBLES LES ABLUTIONS.

TROISIÈME JOUR...

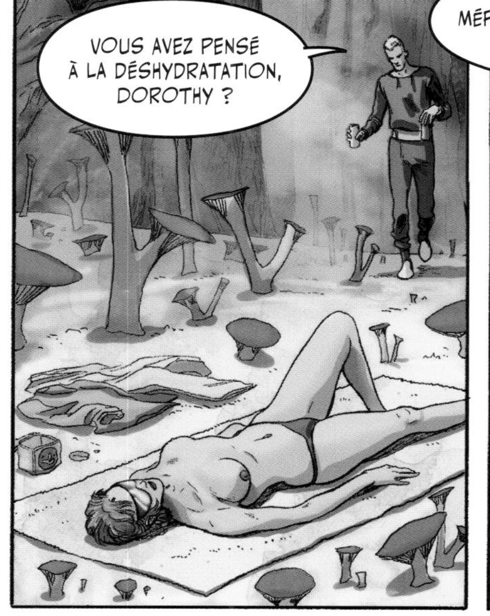
VOUS AVEZ PENSÉ À LA DÉSHYDRATATION, DOROTHY ?

VOUS DEVRIEZ VOUS MÉFIER DU SOLEIL DE BELZAGOR, IL CHAUFFE LES SANGS.
SURTOUT LES VÔTRES, EDDIE, J'AI L'IMPRESSION.

ET EN TOUT CAS, PAS LES MIENS, MONSIEUR GUNDERSEN. QUAND JE VOUS VOIS AUSSI OISIF, JE ME SENS AUSSI GLACÉ QU'UN NAGGIAR.
J'EN AI MARRE DE FAIRE DES FILMS DE VACANCES, BOUGEZ-VOUS UN PEU OU ALORS NOUS ALLONS DEVOIR REPARTIR, ET VOUS N'AUREZ PLUS L'OCCASION DE TRINQUER AVEC MA FEMME.

CINQUIÈME JOUR...
BOUM BOUM BOUM
QU'EST-CE QUE C'EST QUE ÇA ?

LES NILDOROR. ILS SE SONT RASSEMBLÉS.
UM BOUM

ILS SONT TOUT LÀ-BAS.
ALLONS VOIR !
BOUM BOUM BOUM BOUM

QUE FONT-ILS ?
ILS DANSENT !
L'UN D'EUX VIENT VERS NOUS !

ATTENTION, LES AUTOCHTONES N'APPRÉCIENT PAS FORCÉMENT D'ÊTRE FILMÉS. RANGEZ VOTRE MATÉRIEL, C'EST PLUS PRUDENT.

TU ES LE TERRIEN NOMMÉ GUNDERSEN ? VOL'HIMYOR DE LA SEPTIÈME NAISSANCE TE DEMANDE DE DANSER AVEC NOUS.
QUOI ?

IL ME DEMANDE D'ALLER DANSER AVEC EUX ?!?
N'EST-CE PAS UN SIGNAL ENCOURAGEANT ? IL FAUT RÉPONDRE À L'INVITATION.

MAIS JE N'AI AUCUNE ENVIE D'Y ALLER.
BOUM BOUM

CE BRUIT... ILS VONT ATTIRER LES NAGGIARS, ILS SONT COMPLÈTEMENT INCONSCIENTS.
JE NE PENSE PAS QU'ON EN TROUVE DANS CETTE FORÊT, CE N'EST PAS LEUR MILIEU.

ILS VEULENT ME TESTER, IL FAUT QUE J'Y AILLE.
SOYEZ PRUDENT, EDDIE.
BOUM BOUM BOUM BOUM

BOUM BOUM BOUM BOUM

BRRRAAAAA
HÉ !

IL M'A FAIT PEUR, CE CON. COMME S'IL N'Y AVAIT PAS ASSEZ DE BRUIT.

DANSE, GUNDY, DANSE.

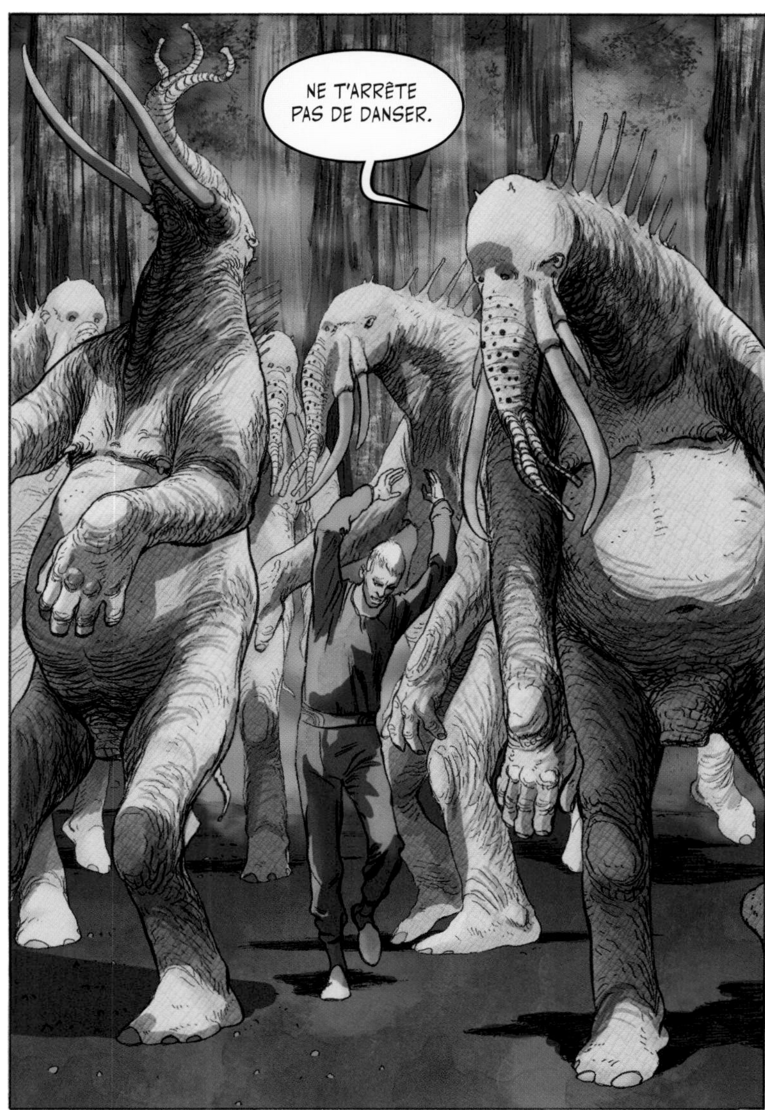
NE T'ARRÊTE PAS DE DANSER.

RENDEZ-VOUS COMPTE, C'EST PEUT-ÊTRE LA PREMIÈRE FOIS QU'ON VOIT UN HUMAIN PARTICIPER À UN RITUEL NILDOR !

EN TOUT CAS, C'EST LA PREMIÈRE FOIS QU'ON L'ENREGISTRE.

IL FAIT LE JOB, ET À FOND.
IL NE JOUE PAS. IL EST VRAIMENT EN TRANSE.

ÇA DOIT ÊTRE EXTRAORDINAIRE. J'Y VAIS.

DOROTHY, NON ! LEUR RITUEL EST DÉJÀ SUFFISAMMENT DÉNATURÉ PAR LA PRÉSENCE DE GUNDERSEN. NOUS SOMMES DES SCIENTIFIQUES, NOUS DEVONS ENREGISTRER, PAS PARTICIPER.

ALLONS-Y TOUS LES DEUX. OH SAM, NOUS POURRIONS VIVRE UNE EXPÉRIENCE UNIQUE.
JE T'AI DIT NON, BON SANG.

ÇA SUFFIT MAINTENANT. NOUS AVONS ASSEZ FILMÉ, NOUS AVONS CE QU'IL NOUS FAUT.
SAM !

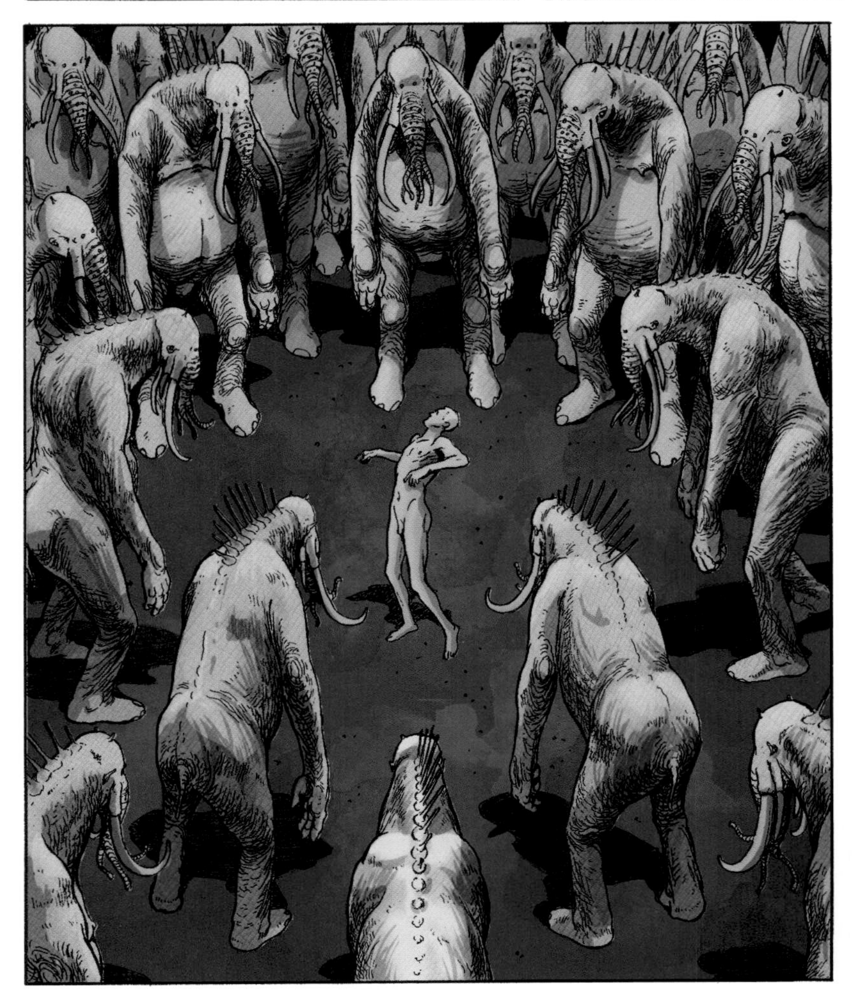

C'EST BIEN. REPOSE-TOI, GUNDY. DEMAIN, TU VIENDRAS ME VOIR.

LE LENDEMAIN.
TU AS BIEN DANSÉ, GUNDY. JE SUIS DISPOSÉ À TE DONNER UN LAISSEZ-PASSER, MAIS J'Y METS UNE CONDITION. TU DEVRAS RAMENER QUELQU'UN DU PAYS DES BRUMES.
UN HUMAIN QUI VIENT, SANS AUTORISATION, DE S'Y INTRODUIRE.

UN HUMAIN ? QUI EST-CE ?
C'EST UN ÊTRE PARTICULIER. IL FAIT PLEURER LE G'RAKH DEPUIS DES CYCLES ET DES CYCLES. IL FAUT LE PURIFIER.
VIENS AVEC MOI DANS L'EAU.

TOI SEUL PEUX LE RAMENER DU PAYS DES BRUMES. TU LE SAIS, NOUS N'AGISSONS JAMAIS PAR LA FORCE.
DONNE-MOI SON NOM, VOL'HIMYOR DE LA SEPTIÈME NAISSANCE.

IL S'AGIT DE L'HUMAIN QUE VOUS APPELEZ JEFF KURTZ.
JEFF KURTZ EST LÀ-BAS ? ET VOUS VOULEZ LE « PURIFIER » ? ÇA VEUT DIRE QUOI ?

TU NE COMPRENDRAIS SANS DOUTE PAS, HUMAIN DE LA PREMIÈRE NAISSANCE. RAMÈNE-NOUS JEFF KURTZ, NOUS LE GARDERONS UN CERTAIN TEMPS AVEC NOUS... C'EST TOUT.
MAIS C'EST NOTRE CONDITION. VOIS-TU, NOUS AVONS APPRIS CELA AVEC LA COLONISATION : PASSER DES MARCHÉS.

CINQ JEUNES DE MA TRIBU IRONT AVEC TOI, GUNDY. CE SONT DES NILDOROR DE LA PREMIÈRE NAISSANCE QUI DOIVENT SE RENDRE AU PAYS DE BRUMES POUR LEUR PREMIÈRE CÉRÉMONIE DE LA RENAISSANCE. ILS SONT D'ACCORD POUR VOUS SERVIR DE PORTEURS. MAIS N'OUBLIE PAS QU'ILS LE FONT DE LEUR PLEIN GRÉ.

MERCI VOL'HIMYOR. MARCHÉ CONCLU, ALORS...
L'AUDIENCE EST TERMINÉE.

PRENEZ VOS SACS, ON Y VA.
ALORS, ÇA Y EST ENFIN, APRÈS TOUT CE TEMPS PERDU ?
BIEN JOUÉ, MONSIEUR LE DIRECTEUR.

ATTENTION À NE PAS FROISSER LA SUSCEPTIBILITÉ DES PORTEURS NILDOROR. CE NE SONT PAS NOS EMPLOYÉS, ILS NOUS SERVIRONT DE MONTURE, MAIS ILS SE CONSIDÈRENT COMME NOS COMPAGNONS DE VOYAGE.

JE SUIS SRIN'GAHAR DE LA PREMIÈRE NAISSANCE.
SRIN'GAHAR DE LA PREMIÈRE NAISSANCE, PEUX-TU INCLINER TA TÊTE ?

DOCTEUR WINGATE, DOROTHY, AGRIPPEZ-VOUS À LA CRÊTE DE VOTRE PORTEUR.

ET NE FAITES PLUS RIEN, LAISSEZ-VOUS PORTER.

DOROTHY, N'AYEZ PAS PEUR DE LUI FAIRE MAL EN LUI AGRIPPANT LA CRÊTE, IL FAUT Y ALLER CARRÉMENT, ELLE NE SENT RIEN.

VAN BENEKER, CHARGEZ LES BAGAGES ET LE MATÉRIEL SUR UN DES NILDOROR.
DOROTHY, JE VIENS VOUS AIDER.

IL FAUT VOUS CALER AINSI SUR VOTRE PORTEUR, LE DOS DROIT.

DE CETTE MANIÈRE VOUS NE TOMBEREZ PAS LORSQUE VOUS VOUS PENCHEREZ POUR LUI PARLER... VOUS VOYEZ ?
JE... JE VOIS...

SAM, TU ME FAIS TOUJOURS LA GUEULE ?
C'EST À CAUSE DE LA DANSE DES NILDOROR, C'EST ÇA ? C'EST PARCE QUE J'AI VOULU DANSER AVEC EUX ?

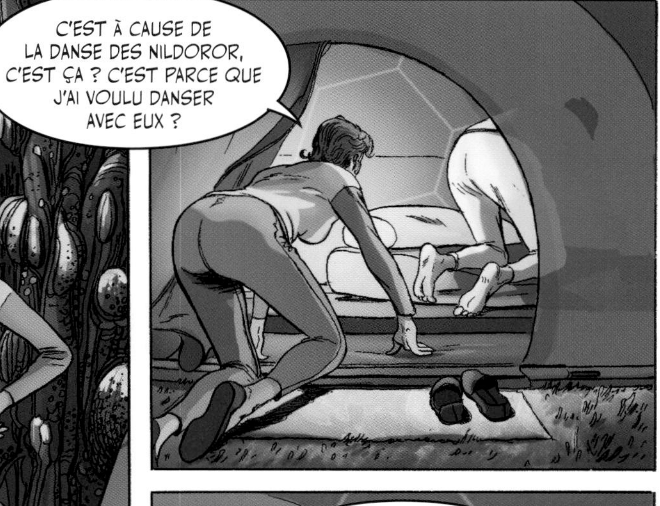

OU PARCE QUE J'AI VOULU REJOINDRE GUNDERSEN ?

JE T'AI DÉJÀ DIT QUE TU TE FAISAIS DES IDÉES AVEC CE GENRE DE CONNERIES. VIENS TE COUCHER.

J'AURAIS DÛ Y ALLER.
PARFOIS, J'AI VRAIMENT L'IMPRESSION DE PASSER MA VIE À MANQUER DES OCCASIONS ET TOI, TOUT CE QUE TU SAIS FAIRE, C'EST TIRER LA TRONCHE.

ARRÊTE TON CINÉMA. LA JOURNÉE A ÉTÉ ÉPUISANTE ET...
C'EST ÇA, COUCHE-TOI. JE VAIS FAIRE UN TOUR.

SEIZE ANS PLUS TÔT,
AU POSTE DES NAGGIARS.
NOOON ! KURTZ, QU'EST-CE QUE VOUS M'AVEZ FAIT ?

DORTOIR DES OFFICIERS.

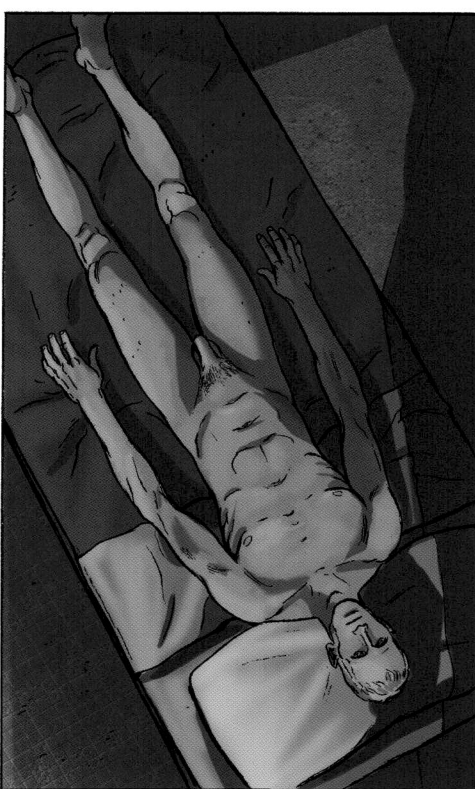

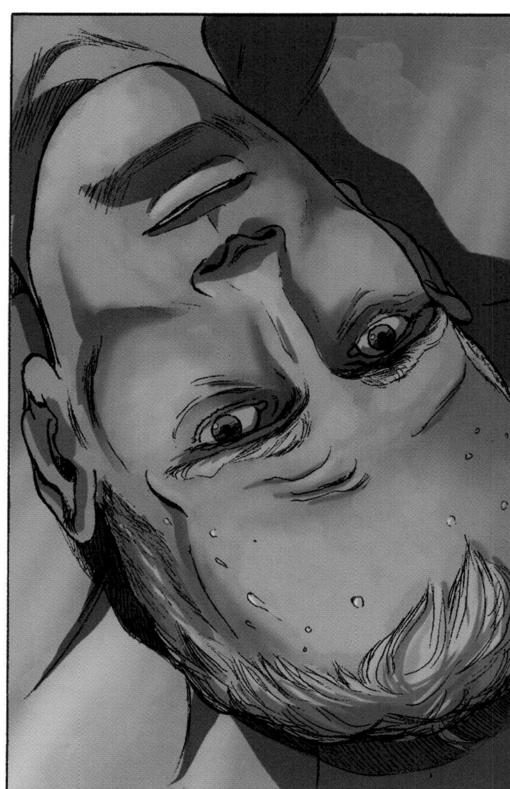

LIEUTENANT, QU'EST-CE QUE VOUS FICHEZ ? VOUS AVEZ VU L'HEURE ? ET LA COLLECTE ?

VOUS VOUS CROYEZ PEUT-ÊTRE DANS UN CAMP DE VACANCES, ICI ?

VOUS SAVEZ TRÈS BIEN CE QUE VOUS M'AVEZ FAIT, VOUS M'AVEZ DROGUÉ, J'AI PASSÉ LA NUIT À AVOIR DES HALLUCINATIONS.
JE NE VOIS PAS DE QUOI VOUS PARLEZ, LIEUTENANT, VOUS FERIEZ MIEUX DE VOUS TAIRE, PLUTÔT QUE DIRE DES CHOSES QUI POURRAIENT VOUS COÛTER CHER.

COMMANDANT KURTZ, VOUS DEVRIEZ VENIR VOIR.

QUE LUI EST-IL ARRIVÉ ? C'EST... ABOMINABLE, IL EST COMPLÈTEMENT TORDU, MUTILÉ...
... ET RONGÉ DE L'INTÉRIEUR. JE N'AI JAMAIS VU ÇA.
1

TU NOUS DÉBARRASSERAS DE CE CADAVRE, GUNDY. ET DISCRÈTEMENT, JE NE VEUX PAS AVOIR L'INSPECTION DES EXOCOLONIES SUR LE DOS.

AAAH !

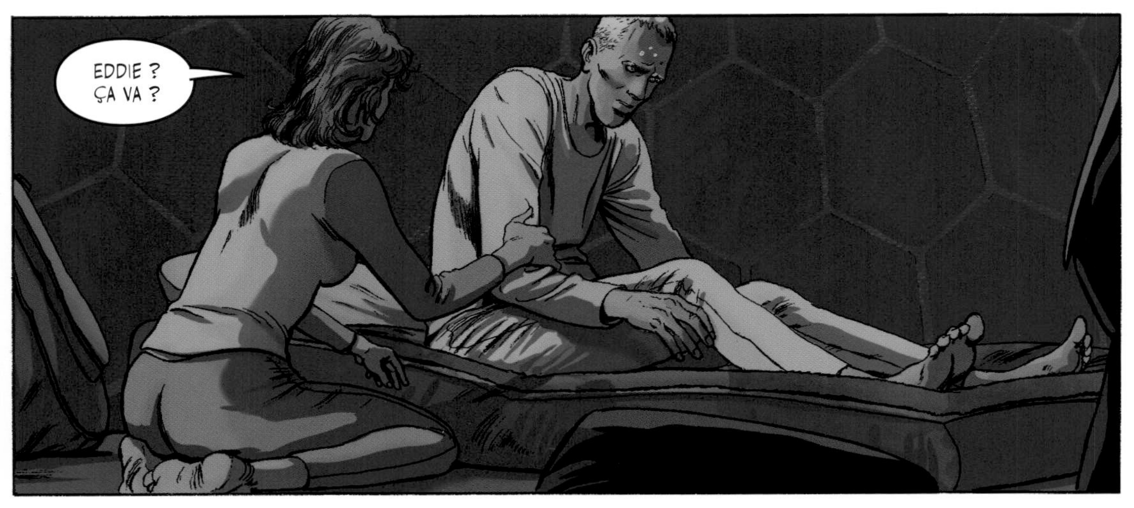
EDDIE ?
ÇA VA ?

OUI, JE...
J'ÉTAIS DEHORS, J'AI ENTENDU VOS CRIS... VOUS FAISIEZ UN SACRÉ CAUCHEMAR. JE N'ARRIVAIS PAS À VOUS RÉVEILLER.

POUR TOUT DIRE, CE N'ÉTAIT PAS UN CAUCHEMAR COMME LES AUTRES. JE... J'AI DÛ PRENDRE UNE MAUVAISE PISTE DANS LE G'RAKH. ÇA VA MIEUX MAINTENANT... MERCI.

SRIN'GAHAR DE LA PREMIÈRE NAISSANCE, JE SAIS QUE TU NE PEUX ME RÉVÉLER EN QUOI CONSISTE EXACTEMENT LE RITE DE LA RENAISSANCE, MAIS CONSENS-TU À ME DIRE SI UN HUMAIN PEUT ACCOMPLIR LUI AUSSI CETTE CÉRÉMONIE ?

POURQUOI POSES-TU CETTE QUESTION, COMPAGNON DE MON VOYAGE ?

SI VOTRE CÉRÉMONIE EST INTERDITE AUX HUMAINS, EST-CE PARCE QUE VOUS, LES NILDOROR, VOUS CRAIGNEZ QUE NOUS PUISSIONS NOUS AUSSI RENAÎTRE, AVOIR PLUSIEURS VIES ?

SUR BELZAGOR, TOUTE CRÉATURE TOUCHÉE PAR LE G'RAKH DOIT POUVOIR RENAÎTRE. C'EST CE QUE LE G'RAKH NOUS PROMET. MAIS CE N'EST PAS CE QUE TU CROIS, HUMAIN DE LA PREMIÈRE NAISSANCE.
TU N'AS MÊME AUCUNE IDÉE DE CE QUE *RENAÎTRE* PEUT SIGNIFIER, GUNDY.

GUNDERSEN ! NOUS SOMMES REVENUS À LA ROUTE DES GLISSEURS. QU'EST-CE QUE ÇA VEUT DIRE ?

NOUS REVENONS SUR NOS PAS, CE N'EST PAS LA BONNE DIRECTION.

NE ME DITES PAS QUE VOUS NE SAVEZ PAS OÙ VOUS ALLEZ ?
IL LE SAIT PARFAITEMENT, AU CONTRAIRE.

J'AI QUELQUE CHOSE À RÉGLER, DOCTEUR WINGATE. ÇA NE SERA PAS LONG. J'AI PASSÉ UN MARCHÉ AVEC VOL'HIMYOR... JE DOIS PRENDRE QUELQUES INFORMATIONS.

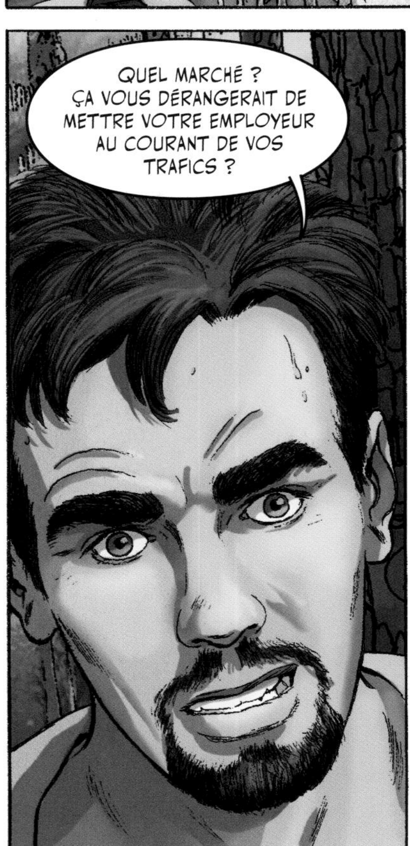
QUEL MARCHÉ ? ÇA VOUS DÉRANGERAIT DE METTRE VOTRE EMPLOYEUR AU COURANT DE VOS TRAFICS ?

GUNDERSEN, JE VOUS SOMME DE VOUS EXPLIQUER.

DÉSOLÉ, ÇA NE VOUS REGARDE PAS, C'EST MON PROBLÈME.

EDDIE ?

JE NE PENSAIS PAS QUE TU VIENDRAIS.

JE PARS POUR LE PAYS DES BRUMES AVEC... DES CLIENTS. APPAREMMENT TON CHER MARI M'Y A PRÉCÉDÉ. TU SAIS CE QU'IL EST ALLÉ FAIRE LÀ-BAS ?

C'EST POUR ME POSER CETTE QUESTION QUE TU ES VENU ?! ET D'ABORD, COMMENT SAIS-TU QU'IL EST LÀ-BAS ?

LES NILDOROR LE SAVENT. ALORS ?

MON CHER MARI, COMME TU DIS, NE M'A RIEN DIT.
MAIS DEPUIS DES ANNÉES, IL N'EST OBSÉDÉ QUE PAR UNE CHOSE : LA RENAISSANCE. TON ARRIVÉE A DÛ PRÉCIPITER LES CHOSES. JE NE SAIS RIEN DE PLUS.

MES CLIENTS ATTENDENT. JE... JE REVIENDRAI TE VOIR, APRÈS L'EXPÉDITION... SI TU VEUX BIEN.
EDDIE, ATTENDS. JE VEUX ME JOINDRE À TON EXPÉDITION.

TU ES FOLLE ? NOUS ALLONS AU PAYS DES BRUMES. PAS QUESTION.

CRACK
QU'EST-CE QUE... ?

ALEX ?

SALOPARD, C'EST COMME ÇA QUE VOUS ME REMERCIEZ, EN NOUS ESPIONNANT ?
AÏE ! ARRÊTEZ, VOUS ME FAITES MAL.

LA FEMME QUI NOUS A COUPÉ LA ROUTE ?
SEENA !

MLLE ROYCE VIENT AVEC NOUS.

ELLE VA MONTER SUR CE NILDOR. NOUS ALLONS RÉPARTIR SA CHARGE SUR LES AUTRES.
DITES DONC, GUNDERSEN, VOUS NE MANQUEZ PAS D'AIR.

MERCI POUR LE COMPLIMENT, WINGATE.
TENEZ, DOROTHY.

EDDIE, QU'EST-CE QUE ÇA VEUT DIRE ?

C'EST MADAME KURTZ, EN RÉALITÉ. ENCHANTÉE. ET HONORÉE DE FAIRE PARTIE DE VOTRE EXPÉDITION.

PEUX-TU ACCÉLÉRER POUR TE PORTER À LA HAUTEUR DU NILDOR QUI NOUS PRÉCÈDE ?

JE M'APPELLE SEENA. SEENA KURTZ.
JE SAIS QUI VOUS ÊTES. JE SUIS DOROTHY WINGATE, DOCTEUR EN ÉTHOLOGIE.

PERMETTEZ-MOI DE VOUS DIRE QUE VOUS FAITES UNE ERREUR EN VOUS IMPOSANT AINSI.

JE VOUS DEMANDE PARDON ?
EDDIE NE VOUS AIME PLUS, C'EST FINI.

P... POURQUOI VOUS DITES ÇA ?
POUR ÉVITER QUE VOUS VOUS FASSIEZ DES ILLUSIONS.

JE NE CHERCHE QU'À RENDRE SERVICE.

LE SALAUD, IL SE TAPE LA SCIENTIFIQUE, EN PLUS !

CETTE ARCHE VÉGÉTALE EST UNE VÉRITABLE LÉGENDE. ELLE S'ÉTEND SUR DES DIZAINES DE KILOMÈTRES ET N'EST FORMÉE QUE PAR UNE SEULE LIANE.

QUELLE BEAUTÉ !

HÉ !

N'AYEZ PAS PEUR, DOROTHY. ON APPELLE LES BRANCHES VERTES DE LA LIANE DES NICALANGAS. IL PARAÎT QU'ELLES SONT CARESSANTES.

OH ! VOUS... VOUS AVEZ RAISON. C'EST INCROYABLE. JE SENS QUELQUE CHOSE D'HUMIDE ET CHAUD, COMME PLEIN DE BAISERS.

FAITES ATTENTION, TOUT DE MÊME. ELLES NE SONT PAS VENIMEUSES, MAIS LEUR CONTACT LAISSE DES MARQUES DE ROUGEUR TENACES.

C'EST MAINTENANT QUE VOUS LE DITES ?!

UN TROUPEAU DE CALAMINES.

ELLES SONT PACIFIQUES, MAIS TENEZ-VOUS QUAND MÊME À DISTANCE.

ON NE VA PAS ENCORE S'ARRÊTER ?

LES NILDOROR PASSENT LEUR TEMPS À S'EMPIFFRER. ET ON NE PEUT RIEN LEUR DIRE, À NOS COMPAGNONS DE VOYAGE.

C'EST MOI, OU UN LÉGER AGACEMENT VIENT LÉZARDER VOTRE RESPECT POUR CES CRÉATURES INTELLIGENTES, DOCTEUR WINGATE ?
C'EST VRAI QUE DU TEMPS DE LA COLONISATION, NOUS N'AURIONS JAMAIS PERMIS CELA AUX PORTEURS.

VOTRE REMARQUE EST DE BONNE GUERRE, GUNDERSEN. JE ME DEMANDAIS JUSTE COMMENT NOUS ALLIONS FAIRE POUR RESPECTER NOTRE AGENDA.

QUEL EST DONC CET « AGENDA » DONT PARLE LE TERRIEN WINGATE DE LA PREMIÈRE NAISSANCE ?
BAH, RIEN D'IMPORTANT... LES TERRIENS NE SAVENT JAMAIS RIEN FAIRE SANS LEURS AGENDAS...
DÈS QUE VOUS SEREZ RASSASIÉS, NOUS REJOINDRONS LES ARBRES GÉANTS ; CE SERA NOTRE GÎTE D'ÉTAPE POUR LA NUIT.

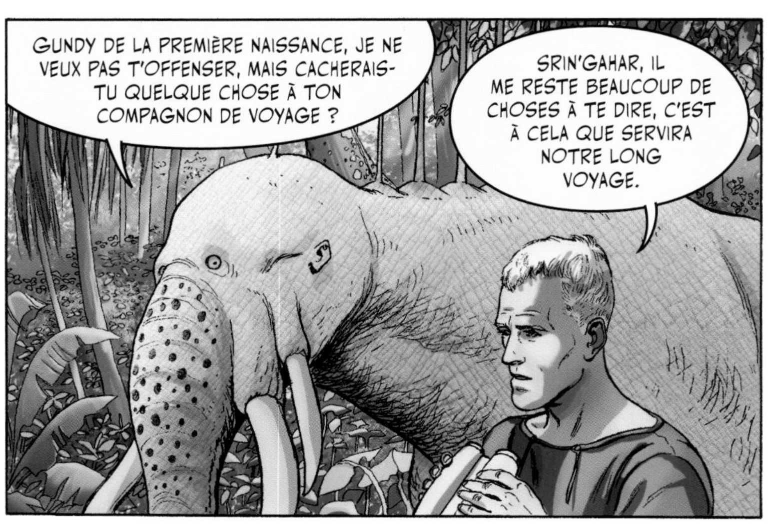
GUNDY DE LA PREMIÈRE NAISSANCE, JE NE VEUX PAS T'OFFENSER, MAIS CACHERAIS-TU QUELQUE CHOSE À TON COMPAGNON DE VOYAGE ?
SRIN'GAHAR, IL ME RESTE BEAUCOUP DE CHOSES À TE DIRE, C'EST À CELA QUE SERVIRA NOTRE LONG VOYAGE.

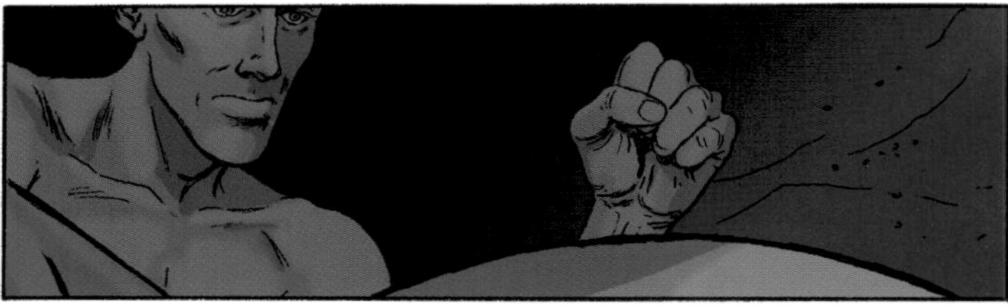

SUITE ET FIN DANS LE SECOND ÉPISODE

Découvrez une autre série
de Laura Zuccheri...

Sylviane Corgiat & Laura Zuccheri
LES ÉPÉES DE VERRE
Alors que le monde est voué à disparaître à cause de l'extinction prochaine de son soleil, Yama se révèle dotée d'un pouvoir lui permettant d'échapper à la catastrophe finale. Pour cela, il lui faudra réunir quatre épées de verre tombées du ciel en quatre points de la planète. Mais il lui faudra aussi composer avec sa propre histoire et son désir de vengeance qui pourrait bien éclipser la mission dont la destinée l'a chargée.
série complète